U0266280

灌溉工程修复与现代化改造指南

[美]William Price 著

张汉松　丁昆仑　译
高占义　党　平

陈　雷　顾宇平　校
瞿兴业

黄河水利出版社

图书在版编目（CIP）数据

灌溉工程修复与现代化改造指南／（美）普赖斯（Price，W.）著；张汉松等译. —郑州：黄河水利出版社，2000.8

ISBN 7-80621-446-1

Ⅰ.灌⋯　Ⅱ.①普⋯②张⋯　Ⅲ.①灌溉系统-维修-指南②灌溉-农业工程-技术改造-指南

Ⅳ.S274.2-62

中国版本图书馆 CIP 数据核字(2000)第 45867 号

责任编辑:吕洪予　　　　　　　　装帧设计:关良宝　郭　琦
责任校对:赵宏伟　　　　　　　　责任印制:常红昕

出版发行:黄河水利出版社
　　　地址:河南省郑州市金水路 11 号　邮编:450003
　　　发行部电话:(0371)6302620　传真:6302219
　　　E-mail:yrcp@public2.zz.ha.cn

印　刷:黄河水利委员会印刷厂

开　本:850mm×1 168mm　1/32　　印　张:1.875
版　次:2000 年 8 月　第 1 版　　字　数:36 千字
印　次:2000 年 8 月　郑州第 1 次印刷　印　数:1－2000

定价:6.00 元

著作权合同登记号:16-2000-0054

译　序

　　我国是一个农业大国,又是一个水资源不足且时空分布很不均衡、旱涝灾害频繁的国家。灌溉对我国农业生产具有十分重要的作用。灌溉的发展和粮食生产的巨大成就使我国能以不到世界 10% 的耕地,解决了占世界 1/5 人口的吃饭问题,人民生活水平逐步提高,保持了社会的稳定和国民经济的快速发展。

　　我国现有灌溉设施在发挥巨大效益的同时,也存在着不少问题,如水源供需矛盾日趋尖锐,用水管理粗放,水的有效利用率不高,以及工程不配套、老化失修严重、效益衰减等。对现有灌区进行以节水为中心的续建配套和技术改造,是保障我国 21 世纪粮食安全的重要措施,也是缓解我国水资源短缺的有效途径,是水资源可持续利用、农业可持续发展的需要,是一项十分重要而紧迫的任务。

　　目前,我国正开展以节水为中心的大型灌区续建配套与技术改造,该项工作涉及工程技术、节水、排水、科学灌溉、土壤次生盐渍化防治、农业现代化建设及生态环境改善等问题,工程规模和投资巨大,技术复杂。为了借鉴和吸收国外灌溉工程修复与现代化改造的技术和经验,中国灌溉排水发展中心、国家节水灌溉北京工程技术研究中心、中国国家灌溉排水委员会组织翻译了国际灌溉排水委员会（ICID）组织编写的《灌溉工程修复与现代化改造指南》。值此译著出版之际，谨向支持和关心中国灌溉事业的国际灌溉排水委员会及主持编写本《指南》的威廉·普赖斯先生表示衷心的感谢。

2000 年 6 月 20 日

序一

灌溉农业为世界人口提供 1/3 以上的粮食保证,并且它还将在下个世纪扮演主要角色。虽然全世界灌溉总面积在逐年增加,但由于人口的增长,人均有效灌溉面积在逐年减少,以前建造的很多灌溉工程其控制范围已不再能够满足以前所要求的设计目标,而新灌溉项目的建设费用又很高。因此,提高单位面积和单位水量的粮食生产能力同样变得非常重要,灌溉工程修复与现代化改造就是要达到上述水土资源高效利用的双重目的。

灌溉工程修复与现代化改造已不是一个新概念,有关的策略实际已贯彻到世界范围内的许多灌溉工程建设中。由于修复和改造需要相当大的投入,有关规划和实施机构,应当对其必要性和经济效益有明确的概念。参与这项工作的人员都应当懂得,需用何种方式对具体的灌溉工程进行修复和现代化改造,以及采取哪些措施,才能够制定出既经济可行,又能为社会所接受的改造计划。

灌溉工程修复与现代化改造议题早已上了国际灌溉排水委员会(ICID)的议事日程,围绕这个主题编制《指南》的工作在 10 年前就已由原“灌溉工程的建设、修复和现代化改造”工作组进行。《指南》的第一稿于 1994 年编写成,后来这项起草工作委托给了美国的威廉·普赖斯先生。《指南》经过了编辑组成员科尼利厄斯·斯托里贝根先生(荷兰)、威廉·菲尔德先生(英国)和吉恩·盖斯柯德先生(法国)的审阅,现在的这份文件是在巴厘会议后经过一番综合而改写成的最后一稿。编制本文件的意图是对几种基本要素的确定提供指南和一种类似于核对用的清单,这些要素是参与灌溉工程修复与现代化改造工作人员所必须考虑到的,以便得出恰当的管理决策。很明显,每项工程都有其地区的特殊问题。因此,要求《指南》能够在更广一些的范围内适用。

这里,我衷心祝贺普赖斯先生付出巨大努力编制成这本《指南》的最后一稿,作出了杰出的贡献。我非常高兴能在这次第 17 届国际灌溉排水委员会召开盛会之际逢此文发表,并有幸拜读,作为第 49 专题"灌排系统的修复和现代化"这一议题将进行深入的探讨。

我相信这本公开发表的《指南》对灌排方面专业人员具有很大实用价值,并能在今后几十年内对为发展灌溉农业而进行的灌溉工程修复与现代化改造发挥重要作用。

科·斯托里贝根
(国际灌溉排水委员会副主席)
1999 年 8 月

序二

这本《指南》的准备工作是由原"灌溉工程的建设、修复和现代化改造"工作组发起的,1998年这个组织归入到新成立的"灌溉系统开发和管理工作组",我非常高兴能在西班牙第17届国际灌溉排水委员会第50次会议上适时地拜读这篇发表的文章。

非常感激美国国家灌溉排水委员会(USCID)成员的努力工作,他们在新领导普赖斯先生的带领下,为准备这篇文章的基础部分做了大量的工作。同时,我非常感谢"灌溉系统开发和管理工作组"(WG-DMIS)提供的有力支持和帮助,他们同时也是最初的工作组官员。他们是:科尼利厄斯·斯托里贝根先生(荷兰,主席),吉恩·盖斯柯德先生(法国,副主席),威廉·菲尔德先生(英国,秘书长)。在过去几年里,菲尔德先生长期合作并帮助文章编写者,倾注了大量心血,在这里我致以诚挚的感谢。这本《指南》由5个章节组成,第一部分是介绍和概述,接下来是综合多年来对灌溉工程修复和现代化改造从开始到完成按照进程所进行工作程序的总结,也包括了对一个修复和改造典型项目内部有关140多项活动的详细评论和汇总,还参编了49篇与主题相关的资料。

在今后的几十年里,为了保持满足对粮食和纤维制品的需求同人口发展相一致的步伐,需要在新建和对现有灌溉系统进行修复和现代化改造时加大投入。我相信这篇《指南》将对全球那些面临规划和实施修复与现代化改造的灌溉系统是非常有帮助的。

海克托·M·马兰诺
(灌溉系统开发和管理工作组组长)
1999 年 8 月

目　　录

概　述

综观全球,建成了许多灌溉工程并已投入运行。但是,由于忽视维护、超期服役,现有设施急需改造。供水和水质已和工程原来的规划目标要求不相称,这种情况同其他一些因素综合起来,决定了灌溉工程需要进行有效益、费用合理的修复和现代化改造。用于灌溉工程的维护、修复和现代化改造等术语的定义如下:

维护　维护是保证现有灌溉、排水渠道及其附属建筑物设施各个部分,都能够按照原来的设计要求安全有效地运行,为此所进行的一系列工作。它可以包括实行一些较小的改善,使这些设施得以按照正常程序进行工作。

修复　修复过程是根据现有灌溉工程需要修理而作出的更新或进行的补救工作,这些设施的功能已不能满足原来的设计标准和灌溉工程需求,它包括运行程序、管理和组织机构的调整改善。修复的目的就是为了提高经济和社会效益。

现代化改造　现代化改造是通过对现有灌溉工程的改善和提高,来达到新的作业标准的过程,包括对现有设施、操作程序、管理和组织机构的改造。改造的目的是提高用户及该地区的社会经济效益。现代化改造不仅仅是对现有灌溉工程设施进行简单的修复。

全世界总的灌溉面积在逐年增加(见图1),但是,报道的灌溉面积分摊到每个人身上,则显示出人均灌溉面积的增加与人口的增长不同步(见图2),而且,这些数字

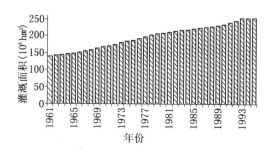

图1 世界灌溉面积变化情况(1961～1995年)

注:资料来源于联合国粮农组织

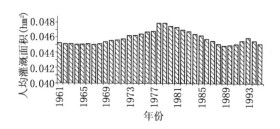

图2 世界人均灌溉面积变化情况(1961～1995年)

注:资料来源于联合国粮农组织、教科文组织及世界银行

还不能完全反映由于灌溉系统的效益未充分发挥,以及排水设施恶化产生涝渍、盐碱化等而引起产量下降的土地和退耕地。因此,通过对灌溉工程进行修复和现代化改造,提高现有灌溉土地的产量已势在必行。

这篇《指南》为现有灌溉工程的评估提供程序和数

据,通过评估确定采取何种灌溉工程修复措施和现代化改造措施,才能获得足够的效益,才能在经济上被证明是正确的。从这个基本的性质出发,希望该《指南》在较大范围内对灌溉工程系统状况及其布设是适用的,并有助于相关机构或组织完成对灌排系统向高层次发展的评估。考虑的因素包含有水资源可利用程度和灌溉工程项目的目标、投资、运行、维护及管理措施。

《指南》所列举的一系列基本要素,是全世界参与灌溉工程修复与现代化改造工作人员思考的结果。通过诊断、考察和分析,为制定灌溉工程管理决策提供基本依据。这份文件是按年代先后编排顺序来组织完成的,根据划分的工作归纳成章节编排如下:

第一章　原有工程目标和工程状况回顾

第二章　对现有灌溉系统的诊断分析

第三章　未来目标的确定

第四章　灌溉工程修复与现代化改造项目的制定

第五章　资金筹措、项目实施及管理的改进

由于各个国家和各个灌溉工程的地理位置及条件存在差异,而每个灌溉工程又有各自的地区特点;一些与灌溉工程修复与现代化改造相关的设计和施工详细材料没有寄来。因此,从另外来源获得。

第一章 原有工程目标和工程状况回顾

1.1 项目管理

与现有灌溉工程修复与现代化改造项目的规划及实施相关的项目管理工作很复杂,它从项目初步设计到完成要用多年时间。健全的管理体制、高水平的专门技术知识及用水户的参与合作是灌溉工程管理获得成效的基本保证。

1.1.1 政府职责

政府作为国家、州或者省的资源保管者,必须在整个管理当中履行某些职责,包括进行资源数据的收集、资源的总体规划、资源使用法规的制定及主要设施的开发。职责范围可以概括如下:

(1)搜集有关水资源资料(包括水量、水质及其利用),整理并定期向对此关心的部门提供。

(2)编制流域水土资源开发利用规划,从而制定开发和管理法规,编制全部水资源责任的文件,并提出水资源未来开发及分配的意向。

(3)管理法规、程序及水资源分配的行政办法(长期的和实时的),水权、污水处理与排放、财经管理以及法规的及时执行。

1.1.2 项目协调组及项目工作组

灌溉工程修复与现代化改造项目开始运作前,负责机构应建立一个项目指导委员会或项目协调组。其中应包括用水户和其他可能的受益者,他们在项目的确定和决策的制定过程中起作用。这个委员会也应包括环境部门的代表,当地或邻近社区的领导及其他有关实体。

这种委员会的组织形式及职责,随国家和灌溉工程的不同而多种多样,该组织可在人数及人员专业上随项目的进展过程而有所变化。该组织需要一位有知识和能力的领导者,他的职责是指导、监督、总结及管理,并对参与人员从项目开始到项目结束的有关工作进行指导。

协调组最初的工作就是指定一个项目工作组,由项目工作组提出一份有关现有灌溉工程开始运行以来演变过程的评估报告,并准备一份包括灌溉工程修复与现代化改造建议措施的可行性报告。在这个阶段,负责机构对未来的工作量作出估计,考虑各职能部门的变化,确定已有的人力资源是否能满足需要。项目工作组可以是负责机构中的一个特别机构,也可以是一个受聘的咨询公司或政府的一个部门。所有这些必须由技术专家作出分析,作出现实可行的方案,并准备出可行性研究报告应有的全部内容,列出确定工作组承担工作范围的参考条目。另外,还有关于费用的相应细则,提供一份有关各方的公开协定。

1.1.3 分析工具

近年来,廉价计算机及专业软件的开发,为协助配合灌溉工程管理提供了新的工具,灌溉工程的管理得益于管理软件程序。这种软件有助于计划工作进展表和监测方案的制定,以及协调其内部的相互关系。这些设施能确保每个参与人员了解工作方法和工序,以便能够及时和恰当地投入工作。

制定灌溉工程修复与现代化改造计划有必要进行评估和诊断分析,这就需要大量的记录和数据,用以进行组合与对比。建立计算机数据库是最好的处理方法,可以对不同时段、不同地区和不同类型的数据进行检索和对比,在不同时段、不同地区多种类型使用的这种方法称为计算机的地理信息系统(GIS)。

1.1.4 工作计划表

灌溉工程修复和现代化改造包括以下几个阶段:①资料收集和诊断分析;②项目选择及方案制定;③招标文件的设计与制作;④资金及其审批;⑤投标及选择承包人;⑥施工;⑦运行、维护、管理。

1.2 工程的确定和原有目标

当研究现有灌溉工程修复和现代化改造问题时要对原有工程的目标和情况进行回顾,这对后续工程的基本资料分析是非常重要的。原有工程水的供应是否满足需要要重新评估,以确定规划的水资源能否适应。评估应明确指出水资源是否能满足原有工程的建设目标。水资源是否充足,对任何一个灌溉工程的修复和现代化改造计划都是很重要的因素,是制定新目标的重要步骤。

1.2.1 初始的工程目标

对原有工程的设计目标要重新进行审查并尽可能描述准确。这种信息一般可在灌溉工程的授权文件、初始或初步设计文件，以及最终设计和施工文件里面找到，如果原有资料找不到有关信息，应通过研究、收集等方式取得有关信息资料，包括对退休官员或农民的采访，他们能够回想起原有工程存在的问题以及有关讨论过的事项。

1.2.2 原有工程的基本情况

应研究原有工程的有关资料，以便获取原来工程实施的细节。所需资料包括以下几方面：

(1)工程规模，比如灌区人口数量，务农人口，灌溉面积，村庄、城镇、市(区)的名称和规模大小等。

(2)整个工程的建设周期，原有工程对控制范围内所有地区开始提供服务的日期。

(3)工程在省(州)、县和流域中的位置。

(4)骨干设施的特性，如大坝、渠道、管线及排水设施，电站、泵站及运行总部(或管理中心)等。

(5)用水计划及水量分配(即多种用途，灌溉、洪水控制、发电、城市生活及工业、航运、娱乐、养殖及野生动物保护等)。

(6)水质要求。

(7)骨干灌排系统的初始设计能力。

(8)运行及维护计划。

1.2.3 初始的水资源状况

对适合原有灌溉工程设想与发展的地表水和地下水

资源数量及质量要重新审查,以确定这样的供水是否一直有效,能否提供工程所要求的足够水量。有关实际水量方面的信息资料,对建立正规合法的水权至关重要。

涉及原灌溉工程水质、水量是否适合的有关问题是:

(1)遇到比工程建设前的记录中更干旱的年份,水是否能够保证?

(2)在原有灌溉工程建成以后,流域中有哪些其他工程和用水的变化情况?

(3)其他方面的要求,比如在估计灌溉工程的水资源可利用程度时,对环境用水和娱乐用水是如何考虑的?

(4)作为供水的一个组成部分,是否考虑了地下水的使用?

(5)在灌溉工程开始运行的头几年里,地表水和地下水的数量是否适应其原来的目标?

(6)在原灌溉工程实施的初期,总供水量是多少,供给了哪些地区?

1.2.4 法规及合同依据

灌溉工程的法规及合同依据要重新审查,这方面包括了原来的灌溉工程执行机构的权力和他们在工程运行、维护及征收水费中的责任。

原有的水权及各种形式的取、用水保证也要进行重新审查,这有助于未来对供水可靠程度的评估。同样地,在原有工程实施期间,对有关用水的法规、规则或协议,也要进行重新审查。

第二章　对现有灌溉系统的诊断分析

2.1　现有设施运转状况

对原有灌溉工程的运行及其目标产生影响的因素要进行重新审查，以便了解工程系统现状及其运行情况，为将来改造目标的实现提供有用的资料。

对灌溉工程考虑进行修复和现代化改造，普遍的理由是灌排系统的实体部分老化，限制了农业生产的发展。由此带来的损失对所有用水户的反应是不平均的。因此，在全灌区内恢复公平和对用水者提供可靠的服务要特别加以考虑，对灌溉工程现状及现有设施适应性的评估是确定灌溉工程如何提高的主要工作内容。因此，在打算进行现有设施的改善或改建时，安排先后次序，进行判断分析，并考虑其经济可行性是完全必要的。

2.1.1　对原有工程设施和目标的后续改变

要编写出原有工程设施变化的历史。对现有工程的设施及其现状（可能与原始的灌溉工程有所不同）要编制文件并进行描述。需要收集现时的灌溉工程数据、地形图以及系统特性图。有序地收集或整理系统的记录，如可能的话，采用计算机处理的地理信息系统（GIS）。该系统的基础部分能够支持灌排系统运行状况的诊断分析，出现问题部分所在位置或工程系统受到的制约处。其他的现代化量测或定位设备,比如,地面定位系统(GPS)和卫星摄影及形象化描述等在较大的综合系统中应予考虑。

确定现有灌溉工程的目的和目标,对评价现有设施的有效性是必要的。在工程的运行过程中,许多灌溉工程已经受到了社会、政治、生物、环境等的影响,改变了原灌溉工程的特征及目标。灌区内土地用途的改变通常是关键因素,土地用途及作物种植模式的改变等应形成文件并加以分析。应对用水户全面调查,对他们将来的作物种植目标作出评估,并在研究所得结果的基础上,对过去的发展趋势提出意见。

某些变化使得灌溉工程原设计目标实现起来既困难,又不可能,或不能令人满意,当这些影响因素出现时,就可能需要对灌溉工程目标作出调整以满足用水户的不同要求。在灌溉工程目标已经改变的地方,一些适合于原设计的关键设施或建筑物,现在就变得不适应了。如果灌溉工程在其运转期内出现运行情况的改变,这些改变就要用文字形式记载下来,同时附上正式批准文件和当时对这些改变的评价。

2.1.2 列出现有工程的清单

灌溉工程内部现有建筑物的完整清单必须列出来,以保证全面考虑这些工程的所有功能及其适应性。这份清单应包括这样一些资料,如每条排水沟、渠道、支渠和建筑物的位置与过流能力,此外,还包括对每个关键性建筑物的目标,建筑物是怎样运行的以及由谁来操作等作一般性的简要描述。在评估灌溉工程修复和现代化改造的需求时,运行频率是一个重要的考虑因素。灌溉工程的全部附属设施如道路、房屋建筑和场地、娱乐区以及安全服务设施等,也应确定出来并列入清单。

应当进行勘测和调查,以确定发生涝渍或土壤盐分积累增加的土地范围及其发展趋势。灌溉工程修复与现代化改造也应同样涉及对排水系统的改善,这有可能增加产量和效益。在灌溉工程范围内的某些地区,解决排水方面的问题可能比供水更为急需。

最好将所有的用水户和供应给每户的水量都列入清单,如果不是供应到每个单独的用户,至少要做到供应用水的分区。这份清单应包括那些法定的优先使用者(如果存在的话)或用水户协会。取得的这些资料如果用计算机储存起来,就可形成开发灌溉工程"评估管理"系统的基础。

2.1.3 设施状况

确定每一个设施的运行状况是决定灌溉工程修复和现代化改造的关键环节,第一步是对每个建筑物进行直观检查,以获取设施状况和维护水平的资料,这些设施在过去是曾经验收过的。检查可以揭示设施锈蚀和建筑物渗漏、开裂、磨损、失稳或控制闸门失灵及设备故障等。图纸、记录本、照片及检查报告对评估和记载建筑物的实际状况以及其他特征是很有帮助的。对运行及维护记录应仔细审查,以确定每一设施过去存在的运行问题或非常规维修。这些文件还能够帮助确定失效出现的频率和某一设施已经不起作用的时间。如缺乏运行或维护记录,应访问该设施的操作人员。

控制闸门及其他设备的运行操作或建筑物的结构试验,在鉴定设施的实际功能或状况时是非常需要的,这对于确定比较复杂的建筑物和系统的运行状况尤为重要。对一些组成部分,如混凝土衬砌和喷涂覆盖等进行非结构性试验,也能提供有价值的数据。运行能力的实际计算,如水泵效率及建筑物部件的强度等,也可能是必需的,对建筑物今后的使用年限和运行需求要作出分析,以便恰当地估计其状况,并明确是需要更换还是进行改造。

2.1.4 过去的运转状况

对灌排设施在过去的运转情况进行评价是非常重要的,如果由于受到设施规模和运行条件的制约,出现了不能满足用水户需求的问题,这时就必须考虑进行改造。例如,对渠道及排水沟的超负荷或加大流量运行要进行评估,对各项工程设施的运行也要作出评价,以确定是否处于超常的、不安全的或不适当的运行情况。

有必要对原先所做的输水系统、输水损失的研究予以审查。这些系统中的损失从灌溉工程开始交付使用起,可能已经增加,这对是否需要对灌溉工程改造是一个重要的因素。然而,由于输水损失的影响而产生的有益方面也是应该考虑的。例如回补含水层或向其他部门供水。然而,在某些情况下,输水的损失成为灌溉工程在部分地区产生涝渍或其他排水问题的原因之一,这些评估是重要的而且颇具有区域特殊性。

在许多灌溉工程中,当工程在开始实施时,修建排水系统的投资被削减以减少前期建设费用,其意图是在后来的运行当中去增加排水设施,并且要证明原先的排水系统设置不合理。工程改造规划要对地面排水系统过去的运转状况作出批判性的评估,以便开发使用灌溉回归水、从作物种植区排走过多降雨所产生的地表径流并避免在作物根层内存在高的含盐量大的地下水。

用水户对灌溉工程的组成部分或子系统的运行表示不满是很好的信息来源。这些埋怨有助于识别和正确地指出存在问题的区域,将它作为考虑对灌溉工程进行修复和现代化改造的主要理由。访问农民或其他用水户也能为系统运转状况提供额外的信息,特别重要的是记录有关向用水户公平供水的资料。如果存在不同等级的用水服务组织或用水管理权,需要有每个分散的用水户小组的详细资料。

2.1.5　现有设施的可靠性和灵活性

灌溉工程设施的可靠性是否令人满意取决于预先制定的用水计划、作物种植类型及土壤状况。灌溉用水一般不要求像城市和工业用水那样高的保证程度,但是,如果发展趋势倾向于种植水果、蔬菜这类较高产值、专业化的作物,那么其保证率就要比原来灌溉工程运转期间所设想的普遍要高一些。在这方面,过去设施运行出现失效的频率,就是一个很重要的因素。

应对工程失效进行核查,确定是否对服务区内的一部分区域的影响较其他地区更严重,并评估对涉及区域的经济及政治环境所产生的影响。

2.2 水资源的充足程度

要对水资源的用途、分配及各种用途的使用量进行评估并确定其现状需求对将来的选择有何限制。在国际上普遍存在着灌溉工程的灌溉用水被迫转为城市、工业用水。另一方面,由于城市化,盐碱地及渍害田也可使农田改变用途。

2.2.1 水土资源利用现状

应充分考虑灌溉工程的排水区域及供水区域所有水土资源利用现状,这方面包括:灌溉用水;城市、农村生活及工业用水;水力发电用水;环境用水;娱乐(或旅游)用水;养殖及野生动物用水;航运用水;回归水及其重复利用。对这些水的使用要作出评价,以确定原有灌溉工程自实施以来,是否由于需求的增加及新的使用目的而影响到灌溉工程的水源(包括地表水及地下水)。这样的评价形成初步的分析,以确定是否需要更加可靠的水源或是否需要增加排水设施。要考虑的关键因素是:

(1)消费用水。应对现有水资源消耗性利用的用水量作出评估。典型的消耗性用水是与灌溉、城市及工业用水相关联的。然而,对其他方面的用水也不能忽视。

(2)所需的引水量。对渠首引进水量的分配要作出评估,其前提是得以满足下游具有高限量用水权的用户和最低限度的环境用水,如养殖、野生动物、娱乐等用水要求。对过去引水量的记录要进行重新审查,以估计将来在不同工况下渠首的引水量。蓄水的放出时间与灌溉用水需要有矛盾的情况可能存在。

(3)水短缺。确定现有工程因水资源不足而引发的水短缺出现的频率和缺水量是非常重要的。水源水量的缺乏对现有系统充分发挥潜力或进一步扩大其潜力可能产生威胁。对干旱期水量分配及运行管理也必须加以考虑。

(4)水质。如果有关水质现状的资料不足,要考虑制定规划建立监控系统。灌溉、城市生活及工业用水对水质的不同要求要予以确定。

(5)河、库用水。河流及水库用水比较典型的有防洪、水力发电、航运、环境、娱乐、养殖及野生动物保护。所有涉及环境方面的内容要考虑详尽,以保证能充分了解由灌溉工程带来的环境影响。

(6)回归水。对返回到本地河道(如果存在)以及最终回归到流域的水量要进行评估。这些回归水的产生地点和时间非常重要,因为灌排系统的改建会影响下游水质水量对用户的适合程度。

(7)地下水利用。对现状地下水的使用情况及由此可能带来的问题应予考虑。多数情况下地下水和地表水是相互联系的。因此,有必要了解两者之间的内在关系。通常,正确地利用地下水和对地下水与地表水统一管理,对解决供水量严重不足或提高配水的灵活性是有益的。

2.2.2 分析方法

供水有效性的改变,输水系统和排水系统状况,综合起来对灌溉工程修复与现代化改造方案的形成起支配作用。所有的分析要素,都需要相应等级的资料数据,用来评估用水现状,以及与之相关的影响。

通过对以往工程运行过程中的配水进行计算机模拟,进行灌溉工程不同区域的水资源平衡和用水的计算,这非常有助于对现状供水满足程度和未来供水的评估,这种非常有用的分析方法,还有助于评估当前和将来水量是否满足需要,而且对后面分析不同改造方案产生的结果也是非常有帮助的。这种方法也有助于定量预测未来修复或改造对灌排设施以及工程范围内土地的影响。

2.3 工程的运行、维护和管理

在评估现有灌溉工程的功能时,应对其目前的运行、维护及管理情况进行检验,以确定其存在的不足。管理和运行方面的改善,通常比工程措施更为重要。

2.3.1 运 行

对下面各项要进行评估,以确定现有灌溉工程的运行特征:

(1)由于工程硬件产生的制约因素(第2.1和2.3节)。

(2)由于操作行为或操作程序产生的制约因素。

(3)运行人员的职责。

(4)用水及其管理(包括涵养水资源)。

(5)有关用水的法规及公共关系。

(6)量水及用水户之间的平等权利。

（7）运行程序（手册、指南）。

（8）运行记录。

建议在需水高峰期对系统进行量测，以便给运行诊断分析提供所需的资料数据，在过流能力需要提高，或在运行程序需要改变的地方可借助可对大型复杂配水系统进行模拟的计算机模型进行指导。当公正性、可靠性和灵活性对用户来说是主要问题时，田间的数据就特别重要。在这一过程中，用水户的参与和介入，也是极其重要的。

提高操作人员在供水高峰期获取信息和通讯能力，可大大提高运转效率。改善通讯系统提高设备的可靠性及增强在灌溉工程关键部位对运行状态进行监控的能力，通常能在现代化改造中发挥很大作用，因此对运行操作进行诊断分析时，应非常重视。

2.3.2　维　护

对现行维护工作的范围及其恰当程度要进行评估。对以下几个方面要重新审查：①工作人员及其职责；②维护计划或预防性维护；③维修结果及影响；④维护设备及工具；⑤大坝及水库的维护；⑥骨干输水系统的维护；⑦配水与排水系统的维护；⑧输水系统的维护；⑨排水系统的维护；⑩维护材料及工作程序。

根据评估作出的结论，可能需要考虑增补设备、设施，进行培训或储备资金。作为整个灌溉工程修复与现代化改造的一部分，组织结构及人员配备方面的需求，通常需要加以改变。

如果现有灌溉工程的一些专用设备,按照以往惯例需要额外的维护,在进行修复与现代化改造时,要从经济方面证明是正确的,以减小未来的维护费用,同时与新的修改过的目标相一致。比如,将小型输水渠道改成低压管道,其结果应当减少渗漏损失,降低运行和维护费用,增加安全度,改善运行,提高土地对作物种植的适应性,并有可能改善环境。

2.3.3 管 理

灌排工程的管理者在为用水户服务的同时,在社区中也扮演主要角色。他们与公众的关系直接影响到灌溉工程管理能否成功。

对下面一些有关现行灌溉工程管理的因素要进行评估:①组织机构或人员;②法律方面;③负责机构的职责;④负责机构与用户之间的关系;⑤政策、法规和规则;⑥经济和社会因素;⑦环境;⑧费用计算及资产管理;⑨为用户提供服务的公正性。

2.4 机构体制方面

对实施灌溉工程修复与现代化改造的组织框架进行重新审查。用水户之间的有效合作是关键环节,如果还没有用水户组织机构存在,需将建立用水户组织作为修复与现代化改造计划中的一部分来考虑。

2.4.1 运行组织机构

为合理使用水资源,达到即定的目标,应由根据相同目标而组织起来的组织机构通力合作共同完成。这些组织一般称为"用水户组织"(简称"WUO"),"用水户组织"的组织形式可以是多样的,可以挂靠在政府部门下,也可以是民间组织,它们的目的是不同的。当"WUO"是一个正式成立的组织时,它应在政府法律的框架内活动,达到用户的目的和目标。

比较好的,在国际上比较通用的形式是"用水户组织"成为负责灌溉工程的配水和排水系统的管理、维护的实体。在很多情况下,政府的管理机构仍保留对骨干蓄水和输水系统的所有权和运行维护的管理控制权,"用水户组织"是决策组织处理诸如水费和工程维修费的机构,通常用水户组织对配水的管理比政府管理机构的管理要有效和可靠得多。

有一个有效的"用水户组织"是灌溉工程能够成功运行的一个关键因素。应对现有的"用水户组织"的强弱作出评估,决定是否需将加强"用水户组织"的有关内容纳入到灌区修复与现代化改造的总体进程中去。在没有正式建立"用水户组织"的情况下,如何处理好工程硬件的改造提高、运行维护的职责和用水户偿还水费的关系就变得尤为重要,应作为项目的一部分,列入总计划之中。

2.4.2 政策、法律、法规及规章制度

改建提高现有灌溉工程之前,应对可能对工程直接或间接有影响的政府(或其他管理部门)的法律、法规、政策及规则,进行确认和汇总。对法律、政策等的完全了解是必不可少的。不按法定规章的要求办事,可能引起工期延误或工作状况改变,以致不能及时解决问题而带来

经济上的损失。可能从工程开始运转就要实施的,对将来运行具有很大影响的未正式发布的重要法规都应包括在文件之中。

可能与灌溉工程有关的领域包括:水的重复利用、水质控制、水资源保护、退水排放标准、环境用水、河道改造水、水权(地表水和地下水)以及最小流量等。虽然现行的水管理权在原有工程开始运行期间是适用的,但是更高级一些的权限则可能在随后一定时期开发出来,或者由于存在某些限制而影响到现行的水权。

2.4.3 筹资能力

改进灌排工程需要投入很大的费用。获得贷款的可能性,通常依靠借贷者自身的偿还能力。要对承担部门及用水户按不同层次偿还借贷的能力进行仔细研究,偿还能力直接关系到承担部门的组织结构、征税的法定权限或用户的税额及可用于偿还贷款的其他收入。

第三章 未来目标的确定

3.1 制定近期和远期目标

一项修复或现代化改造项目的目标可分为两类，即近期和远期。近期目标涉及工程当前的问题，相对来说，很快能实现，远期目标则意味着效益的发挥比较缓慢。要注意到项目的效益在将来可能会发生较大的变化，应考虑人口的增长趋势和政治上的要求，以及整个供水区域用水户目前和将来的愿望和明确的需求。

3.1.1 近期目标

项目当前的目标可能会由于供水区域内对水的需求情况发生变化而与原来项目有显著区别。例如，向一个人口稀少的地区移民，一旦在该地种植棉麻和粮食作物，可能会导致该地区从此供水不足，或是项目的水权受到侵犯。例如，都市区为灌溉工程改造提供资金：

1998年12月，水资源短缺的南加利福尼亚都市水管区（MWD）与帝国灌区（IID）就节水问题签订了一项独特的协议。根据协议，都市水管区要为节水和设施改造提供资金，而帝国灌区则将节省下来的水量输送到都市水管区向市政和工业供水。这项灌溉工程现代化改造计划要用8年以上时间来完成，按设计将1.2亿 m^3 以上来自灌溉系统损失的水量输送到城市使用。该工程用于现代化改造的基建投资约1亿美元,建设内容包括渠道衬砌、侧向截流工程(汇集侧向渗水加以重复利用)、调节水库、田间灌溉管理、系统遥测遥控。

该项目已在实施中,项目涉及政府机构对工程的投入、详细的环境评估、许可证的申请以及系统运行程序的改进。农民通过各种委员会、公共会议及用水户董事会审议制度等形式参与项目的建设与管理。

尽管项目实施过程中出现了很多问题,但该项目大大改善了帝国灌区的工程状况,而且在一定程度上缓解了向洛杉矶和加利福尼亚地区缺水居民供水的压力。从世界范围来看,将来的发展趋势是作为城市供水的水源将有一部分来自灌区。在这种情况下,可通过合作和公平入股,对灌溉系统进行修复与现代化改造,从而实现节水。

其他应考虑的影响因素还包括:①管理用水的环境方面的法规;②运行效率;③提高供水水源的可靠性;④防洪;⑤水质变化;⑥地下水需求量及其产生的后果;⑦排水需求。

3.1.2 远期目标

世界人口的不断增长,对灌溉排水工程形成的压力越来越大,要求改进方法,提高工程效率,以减轻环境和社会发展在水资源方面的需求压力。在环境问题愈来愈受到关注的情况下,未来的灌排工程规划应更多考虑对环境的影响和水质问题,这些因素在过去的规划和开发当中被忽视了。

在规划未来的用水需求时,应考虑其他有关的世界范围发展趋势的影响。例如,由于目前可从其他地方得到便宜的电能,因而利用衬砌渠道的跌水来发电的机会往往被忽略。然而,未来的电力需求可能使得在灌溉渠系中开发微型水力发电从经济上证明是正确的。

如果水法强调必须提高灌溉工程的效率或加强对野生动物环境的保护,那么,这些法律上的限制可能影响到项目的未来目标。地方、国家或国际机构也可能对项目提出一些特殊要求。

灌溉排水建筑物并非一次设计到位就永不改变,一些建筑物由于新的设施和新设计的使用,在它们尚未达到使用年限之前就过时了。在项目的远期目标中确定建筑物的使用年限时应考虑这个问题。

可能影响项目未来远期目标的因素包括:①原来的拥有者(用水户)的水权;②对整个项目区的公平性;③排水设施的改善;④保证国家粮食安全所需的粮食产量增长;⑤对环境影响的考虑;⑥水利用效率;⑦农村向城市移民;⑧干旱情况下的管理及(政府补助金)优先使用支付政策;⑨土地利用方面的预期变化;⑩工业的远期发展。

一项灌溉工程的任何修复或现代化改造工作能得到地方的支持很重要。应征求现有用水户的意见,放在心上,并加以考虑;要举行咨询会及公共会议,提供有关信息并展开讨论。

另外重要的一点是,所提出的目标要与现有的流域开发计划相互协调。

3.2 未来的土地利用及其对水的影响

一项修复或现代化改造项目的目标包括(未来)水土制约利用状况的变化。对预期的未来用水量、水质要求以及项目是否有充分的水权应当一起进行评估。

3.2.1 未来土地和水利用状况预测

为了使工程满足预期的未来供水需求,可能需要改变土地和水的利用状况,这一改变又会影响工程对水的数量和质量需求情况的变化。在对未来水资源是否满足工程需求进行评估时,应当考虑到由于其他原因造成的水土资源利用状况的变化,可能会对现有工程或规划中的工程所预计的未来利用情况产生影响。

灌溉工程修复与现代化改造及其对现有水资源系统的影响,可能带来的水土资源利用状况的变化如下:

(1)灌溉面积变化:增加或减少灌溉面积。

(2)开采利用地下水:地表水和地下水联合运用,有利于减缓由于干旱所带来的供水短缺,短暂时期的蓄水需求,或是有助于解决有关排水问题。

(3)改善防洪条件:除减轻灾害损失之外,采取防洪措施还有利于改善底土的排水条件,从而提高农业产量。

(4)加强鱼类和野生动物栖息地的保护:修复或现代化改造项目的实施,可能会导致野生动物种类的减少或使处于濒危状态的栖息地丧失或改变。应当重视野生动物保护,长时期地加强濒危状况的野生动物栖息地建设。

(5)建设与水有关的娱乐设施:改善或增建水利设施（如在系统内修建蓄水工程），为当地社区提供场所创造娱乐条件。

(6)向城市和工业区供水:以前的供水只是为了满足灌溉需要,将来要满足向城市和工业区供水的需求。

(7)河道流量变化:河道流量变化取决于修复或现代化改造范围,河道及排水沟的流量可能减少或增加,而且水质也会发生变化,从而影响下游的用水户。

(8)审美方面的考虑:项目的建设有可能带来项目区景观的变化,灌溉工程的修复或现代化改造为考虑工程设施外形美观上的改善提供了一个机会。

(9)保护历史文物或古迹:项目计划中应包括对所确定的历史文物或古迹的存在与地点进行保护的条款。

3.2.2 水 权

如果存在一个有用水权或用水优先权的系统,有必要确定在水权容许范围内可取用的水量,这样做是为了确定对工程来说是剩余的可引用流量及可利用的地下水供水量,直到弄清楚剩余的可引水量和可供利用的地下水量为止,否则不能考虑提高工程减缓水短缺的供水能力,或增加新的各类供水。在进行水资源的评估时,应把以下问题考虑进去:①已建工程和拟建工程的水权;②居前位的水权(优先权);③剩余未分配的可引用流量;④剩余的地下水供水量;⑤水权转移的可能性(转到该工程或从该工程转出);⑥进行水交换的可能性;⑦买水或售水的可能性;⑧回归水;⑨对第三者的影响;⑩强迫限制用水量的可能性。

3.2.3 合同承诺

工程管理机构向用水户供水可能已有合同承诺,如果工程进行修复或现代化改造后因为新的需求增加了供水量,必须对现有的合同进行修改,并通过谈判签订新的合同以适应这种变化。合理的做法是,在确定各方对改造现有工程分担投资之前,就达成上述协议。

3.3 对工程将来运行和维护的考虑

由于水的供需矛盾日益突出,迫切需要改善用水的管理和储备。工程将来运行和维护是否合理可行,应当作为项目的一个组成部分来考虑。

3.3.1 用水户组织

如果项目区还未建立正式的用水户协会,应该探讨在修复或现代化改造期间建立用水户组织可能带来的益处。有一个熟悉现有工程日常运行的用水户组织积极参与或监督,可使将来的工程规划得到改进。成立正式的用水户组织还有利于明确有关工程改造、运行、维护的职责和确定贷款偿还份额。对于拥有若干个用水户组织的大型灌区,可从每一个用水户组织中选出一名代表组成工程董事会。

3.3.2 运行和维护

工程修复和现代化改造的运行与维护,需要适应将来的工程条件和可能出现的水资源变化。应当考虑到人们的环保意识不断提高以及出现可能由工程提供服务的新型用水户(如娱乐场所经营者)等。这些变化需要改进工程的运行来适应。对工程将来运行和维护有影响的因素可能包括以下方面：①河道流量变化；②取水口改变；③排水回归点改变；④供水水质；⑤排放回归水的水质；⑥水权；⑦引水量变化；⑧运行概念变化；⑨为保护已改善设施的防洪；⑩鱼类和野生动物栖息地管理；⑪保护工程设施和设备免遭人为破坏；⑫需要更为可靠的服务；⑬预算限制；⑭新的立法，例如健康和安全方面的立法；⑮监测和控制设备技术方面的改进；⑯需要增加量水设施和提高量测精度；⑰为水费计收而增加新的量测点；⑱用于正常及紧急运行状况的通讯。

第四章　灌溉工程修复与现代化改造项目的制定

4.1　方案的论证和制定

　　下一个阶段,要根据历史背景资料及已作出的诊断评估,确定修复或现代化改造项目可能包括的工程范围。其方案从来就不是惟一的,而是要在对项目的自然条件、投资情况、目标优先顺序、组织机构改造及用户响应情况进行分析之后,制定多个颇有差别的方案,然后通过认真比较、筛选,最终选择一个方案。例如埃及灌溉工程改进(IIP)的现代化改造程序:

　　在埃及水管理研究所(Egypt Water Management Research Institute)撰写的一份特别报告中,总结了埃及一项灌溉工程进行修复及现代化改造的方法。该工程有 7 条渠道,控制灌溉面积 14 万多公顷。通过现场调查和诊断研究,明确现有灌溉排水系统存在以下缺陷:

　　(1)所确定的轮灌周期不是太短就是太长,没有灵活性,造成不是水量损失大,就是作物浇不上水,或者两者兼有。

　　(2)支渠和田间渠道从渠首到渠尾之间配水不公平。

　　(3)渠道尾段尤其缺水严重。

　　(4)干渠、田间渠道及控制建筑物维护差。

(5)田间一级渠段配水纪律性差,特别是在用水高峰期,渠道上游农户引水方便,下游则难以引到水。

(6)由于过量灌溉及停止夜间灌溉,大量的退水泄入排水系统。

(7)采取上游控制方式运行及闸门漏水,加重了渠道末端的水量损失。

(8)农户在工程系统的运行、管理和维护各方面都依赖政策。

(9)土地平整差,加剧地表径流,增大了深层渗漏损失,从而导致涝渍和土壤盐碱化加重。

接着通过评估,确定以下目标:

(1)在渠系修复工程的规划、设计及实施中,建立一种合理的多学科的方法。

(2)建立一个灌溉咨询服务机构,向用水户协会提供水管理技术信息及技术支持。

(3)在整个灌溉工程改进项目区建立用水户协会,担负起协调田间渠道输配水计划和工程维护及解决用水争端的任务,加强农户与工程系统管理人员之间的交流。

(4)制定有关部分运行维护费及改善田间工程费用回收的政策和程序。

(5)提高埃及公共工程及水利部机构的职能,在装备、人员配置、管理技能方面予以加强。

目前正进行的骨干引水工程系统改造,已开始给工程运行带来好的变化,供配水更合理,经营、管理和定期监测更有效。这些变化将为用水户提供更大的供水灵活性,在灌溉供水的时间、水量和供水周期方面得到更好的改善。目前为用水户协会提供政府的灌溉咨询服务和技术支持方面的工作正得到逐步加强。

主要作者科塞博士作出的结论是,对埃及这样古老的灌溉工程进行改造不是一件容易的事,不仅需要对工程系统全身进行修复,而且要影响和改变工程师、技术员、运行维护人员及农民(工程的主力)的意识,这是一项进展缓慢和费时的工作。随着私有化、市场经济及作物自由种植方面的迅速发展,在全国范围实施灌溉工程改造的速度要比当初研究和试点时快得多。

4.1.1 工程设施及系统的改进

在制定修复或现代化改造计划时,首先要结合已进行的评估、诊断和既定目标,确定各个组成部分在修复或现代化改造项目中的优先顺序。通常情况下,根据单个工程的成本效率及其对整个系统改善所能起作用的程度来确定优先顺序。应对方案中可能存在的影响以下有关概念的因素认真考虑并进行评价:

(1)对影响系统运行及过水能力不足的建筑物或系统的组成部分进行修复或重建。

(2)对工程进行改进或增建,以改善系统通讯,提高其运行可靠性及灵活性。

(3)提高关键控制建筑物的稳定性和耐久性。

(4)系统不要过于复杂化,以免运行困难及降低它的可靠性。

(5)提高对用水户供水的公平性。

(6)尽可能接近地按"需求原则"向用户供水。

(7)在系统内部兴建蓄水工程,以利于提高系统运行的灵活性及加强回归水的回收再利用。

(8)在干渠控制建筑物处增设长顶堰,以利于远程系统的稳定运行,保持干渠水位更平稳。

(9)干渠及干渠节制闸按"容积控制"(接近系统的恒定容积)方式运行,有利于减小渠首到系统末端的瞬态过渡时间。

(10)节制闸门的自动控制。

(11)对渠道进行新的衬砌或对衬砌渠道进行加固改善,有利于减少渠道渗漏损失以及增大过水能力和减少维护工作量。

(12)对于维护困难的小型输水渠道,宜采用低压管道输水。

(13)对于将来可能出现排水问题以及目前已经存在问题的地区,排水沟要扩大断面,或加大沟深。

(14)渠道或排水沟的渗漏水进入中等深度含水层,将成为可开发利用的地下水地区。因此,不能总是强调防止渗漏损失。在这些地区,有控制的适当渗漏是对地下含水层的有效补给。然而,在渗漏量大而又难以回收利用的地区,应对渠道进行衬砌,将水节约下来,输送到其他需水的地方。

(15)对分水建筑物进行修复或现代化改造,以保证向下游输水。

(16)对于较长的大型渠道系统,要在不间断供水的情况下对渠道进行衬砌,宜采用水下衬砌的方法。

(17)在作物生长关键时期如果必须停止系统运行,以满足修复或施工要求,应当对停水给作物产量带来的损失进行补偿。

(18)用水户提出的工程系统修复补充方案。

(19)提供或改进量水设施,以利于按用水量征收水费。量水建筑物的位置设置及精确度非常重要。

(20)改善整个项目区从农场到市场的道路。

4.1.2 运行、维护和管理

正如前面所提到的,灌溉工程修复或现代化改造项目能获得成功的关键要素,是存在一个有效的工程运行、维护及管理计划。这方面常容易被忽略,有必要引起高度重视。项目组应编制或改进工程运行维护计划,包括列入每一个备选方案中的所需有关费用。这些运行维护计划应考虑用水户投入的资金。一个很关键的环节是制定一个在缺水及干旱期间指导工程运行的策略。因为在可供水量短缺不能满足需求的情况下,水的分配和有效运行会对用水户产生较大的经济影响。当发生严重缺水情况时,要制定足够明确的政策和修订运行条例,才能有效地避免不公平配水。

4.1.3 方案的制定

有助于确定项目优先需要次序的方法是:项目工作组制定一个初步评估大纲,并对若干个颇具差别成分组合起来的方案(一般是 10 个方案)进行比较。将初评的结果和形成的一般性建议提交项目协调组审查。通过审查后,项目协调组将向项目工作组提供指导性准则,以制定有效数量的(建议 3~4 个)更为详细的初步方案。

在制定初步方案时,项目工作组应召开会议,向工程项目管理人员、受影响的政策机构、用水户以及其他受影响的公共机构或私人团体逐一征求意见。此外,通常还需要进行现场调查及系统模拟,以获得补充数据和验证现有数据,并对可能存在问题的技术或运行进行检验。

4.2 对方案和项目选择的评价

有关建议的初步方案、详细情况,应清晰、简洁地记入项目报告中,这有助于决策者对初步方案进行评估,并选择出对项目实施最适合的方案。

4.2.1 项目报告

项目工作组应对每个初步方案的数据资料进行加工整理,按统一格式列出,以便于对项目报告中提到的建设内容、投资、运行参数进行比较,然后归入项目报告。项目报告通常包括:关键技术问题、工程的运行、维护以及对环境(第三方)的影响。若两个备选方案存在较大或较明显差异,应在报告中特别标注出来。另外,重要的是要每个方案的主要数据都与修复或现代化改造计划的预期目标相适应。这将有助于决策者对项目作出评价。对项目经济评价结果,包括投资、效益和不利影响等应明确地总结进去。

初步方案的说明还应包括减小施工期对现有用水户的不利影响的措施。在某些情况下,避免非正常供水是可能的。如果仅是少数用水户受到一定程度的影响,最好采取对他们进行补偿的办法。在项目报告中应对每个初步方案的实施计划作出陈述,以便对各方案的影响及补偿情况进行比较。实施计划目的也在于早期实现项目的预期效益。

项目报告应清晰、简洁地阐述每个方案的制定原理及其优、缺点。项目工作组可采用各种加权处理系统,对初步方案进行组合对比。项目报告还应包括项目工作组对选取最佳方案所提出的建议。

4.2.2 最适宜项目的选择

通常由第一章所概括描述的项目协调组或其他指定的委员会负责最终方案的选择。该协调组可能会对项目工作组提交的方案之一提出修改要点,然后要求对该方案进行补充评估,使新方案达到与其他方案同等深度的水平。

在最佳项目的选择过程中,财政方面的考虑是非常重要的。项目协调组应对成本分摊或费用分担提出自己的建议。在陈述项目的外来资金时,确定资金的数额也是一个关键。应从商业风险的角度来审查项目,其长期投资效益取决于良好的项目管理和用水户的支持。

一旦项目协调组完成项目评估并提出最后的建议,项目工作组应编制项目可行性研究报告。该报告将提出最终选择方案,以便筹集外来资金以及与用水户签订有关契约协议。

第五章 资金筹措、项目实施及管理的改进

5.1 资金筹措

一项修复或现代化改造项目的财务安排,通常是对需要完成工程的数量和项目周期以及项目的实施对用水户的影响几方面的直接行为。制定出来的财务计划应得到项目投资各方的认可。在很多情况下,负责项目建设的机构将聘用专业咨询专家与有关用水户共同编制财务计划。

5.1.1 投资和项目周期的估计

一个良好的项目实施计划是建立在对项目逐年费用估算的基础上的,费用估算与前期各项工作及施工期时间表有关,而且工程的投资计划是根据这一估算做出来的。

在整个项目的实施过程中,对投资和工期的估算要不断进行再评价、改进调整和重新估算。在选择最终方案和实施工程修复及现代化改造所达到的标准时,筹资约束情况可能起到决定性的作用。在最终设计完成之后,费用估算要进一步细化,使其更接近实际情况。

估算投资时,不仅要包括灌溉排水系统的建筑工程费以及与其相关的修理费,而且要加上工程系统运行维

护设施的建设费,如增加的办公用房、工厂、设备仪器、通讯器材、田间作业机械或交通工具等。由项目负责单位承担的其他费用,包括工程咨询服务、工程设计、招标文件的编制与发布、评标及施工监理等。在施工期内要维持需要的运转、操作水平,也可能增加额外的费用。包括勘测、规划在内的各阶段费用估算值见表1。

表1 修复或现代化改造项目准备和实施阶段
费用与工程造价对比情况*

其他费用	单位数
项目初审	0.5
现场调查和诊断分析	1.5
方案的模拟和制定	2.0
初步方案的研究、可行性研究报告的编制	2.0
设计和招标文件的编制	4.5
施工监理	9.0
项目管理方法和举行公众听证会	0.5
合　　计	20.0

*基建投资假定按100个单位计(不包括临时费)。

5.1.2　临时费

项目估算的总投资包括项目评估完成期间作出的基本投资加上临时费。可行性研究阶段,若进行了详细调查和完成了初步设计,临时费应控制在项目估算总投资的10%～15%。对项目费用的任何影响因素都应充分反映在项目报告或随后调整的投资估算中。在资金已落实且部分工程合同已被接受的情况下,可对临时费用进行调整,将其减少到项目估算总投资的5%～8%。

5.1.3 筹资渠道的确定

一旦确定了项目部分资金需要外部筹集,就要开始选择筹资渠道。最终筹资计划可能是包括以下渠道的组合:

(1)政府拨款。通常情况下,政府对现有灌溉工程的修复改造有兴趣,愿意投资,这样做,可促使该地区更繁荣、增加政府税收和提高该地区居民的生活水平。在考虑到政治和社会因素的情况下,政府会给灌溉工程提供一笔占总投资相当部分的直接拨款。

(2)政府贷款。为了维持和扩大粮食生产以保证国家粮食安全,向乡村和城市中心大量供水,或是减轻洪水造成的损失,很多国家政府会向灌溉工程提供低息贷款。通常情况下,贷款由受益项目单位偿还。

(3)向开放的市场借款。一部分工程建设投资可通过向开放的市场筹集。通常是通过发行债券来筹集资金。一项详细的筹资计划在吸引项目的可能投资者并使之信服方面起到重要的作用。对有关项目情况陈述充分和清楚的资料可使借贷方以较低的利率提供投资。此外,若得到政府担保,可获得更低利率的贷款。

(4)项目主管机构直接投资。在某些情况下,项目主管机构或是通过制定一种特殊税额向用水户征税筹集项目资金,或者以产品或服务为项目提供支持。用水户可通过出劳力或提供设备承担部分工程的建设,或是由用水户直接提供工程所需的部分建筑材料,如砂子、木材、骨料或土方。用水户在施工现场日常地积极协助和监督工程建设,有利于保证超过已签合同的工程建设质量。

5.1.4　筹资方案的评估

在大多数情况下,项目的筹资成为一项积极的政治活动,特别是寻求政府的贷款、拨款或政府的担保这些情况。项目的资金来源可能是由多渠道组合成的,这取决于何时需要资金及资金需求量的大小。申请项目贷款的委托手续费、证券承购包销费和债券发行费,应尽可能在靠近工程动工之前确定,以减少工程投资和期间利息。项目可行性研究报告,以及其他能证明项目主管单位和用水户财务能力及过去业绩的报告,常用于向投资者示范说明有关单位的信贷价值、所建议工程的修复和现代化改造项目的可行性。在编制财务计划时,项目主管单位及其财务顾问,以及投资者、用水户应共同协作,对项目内容、工程情况以及可选择的长期筹资渠道作出评估。

5.1.5　财务计划

项目财务计划包括项目建设费用估算、与各种筹资渠道相对应的现金流通需求量以及随后的资金偿还数量和时限。典型的财务计划能够表明不同筹资方案之间的差异,以阐明所选择方案的优点及选择理由。对于某些资金渠道,特别是从开放的市场借款的情况,要对最终利率进行预测很困难。由审查投资对象的财务信用,投资团体中有经验的专业人员,根据最近市场利率和类似项目贷款的利率变化趋势,预测最终利率。一项良好的财务计划能将投资风险和利率浮动对偿还资金的影响作出分析。

财务计划还应考虑项目主管部门和用水户的现有债务情况,以及与之相应由年度费用组合成的总的债务负担。包括:

(1)人员工资。

(2)其他正常的运行费用。

(3)前债的连续偿还。

(4)修复和现代化改造项目费用回收所增加的负担。

此外,还应对将来不断增加的运行维护费、财产或设备的重新安置费进行预测。

5.1.6 产生效益和偿还债务

财务计划的另一部分还应描述项目主管机构及用水户打算偿还债务的详细计划,并与预测的由项目带来的长期效益进行对比。项目参与各方就财务分担签订有关协议是很必要的。在考虑偿还修建灌溉工程的贷款时,"由受益者偿还"正逐渐成为一项首选的政策。

根据政府的政策法规,项目主管机构可以通过提高用水户水费标准,向用水户征收财产税、商品税、丰产年特别税或其他税款,来回收项目投资。但基本的一点是,在考虑到工程给用水户带来预期效益的情况下,各种费用与税额应在用水户支付能力之内。对于某些工程,有关设施如水电站和水库负担供水出售的任务,可能不允许提高费率来支持工程偿还贷款。但特别要引起注意的是,对于正投资在建的灌溉工程以及将来的现代化改造,不能由于考虑不周,采用不适当的投资回收政策,而导致进入新的工程退化循环过程。

在投资偿还开始时可以有一个延迟或宽限期。宽限期有利于农民在工程施工期间有一个调整过程，并且在偿还投资之前就开始受益。一般说来，经过谈判协商可以达成协议，在修复工程完成之后延期3～5年开始偿还投资。但这种宽限不是无偿的，宽限期越长，投资方要求的利率就越高。

5.2 对机构体制方面的考虑

在实施灌溉排水工程的修复或现代化改造项目时，对管理体制的全面评估和改进就如同工程的合理设计、施工及运行一样重要。

5.2.1 项目组织机构

在所选择的项目方案中，将包括修复或现代化改造项目交付使用后的工程运行维护计划，应对项目主管机构将来承担的运行和维护工作量作出评估。在计划将配水系统的运行维护工作移交给用水户，大型蓄水工程及骨干引水工程的运行和维护，通常仍由项目主管机构负责的情况下，也应明确其对工程运行维护的长期职责，以保证整个工程运行状况令人满意。

项目主管机构要采取措施，及时调整组织机构，合理调配管理人员，管好工程设施，必要时，人员和设备都到位，随时准备以应急需。

5.2.2 非政府机构的职责

在工程运行和维护方面的部分工作移交给用水户的情况下，项目主管机构要将非政府机构的职责阐述清楚，以保证立法和编制有关法规及条例。由于用水户与项目存在债务以及财务关系,因此应让他们参加项目工程的规划和设计。非政府机构的职责应在任何修复或现代化改造计划制定之前就明确下来,其职责的确定应建立在适用于所有项目的清晰的政策基础之上。

5.2.3 新的法规、规则、条例和政策

通常情况下,工程设施及体制改革需要有立法做保证。在开始改革之前,应具备必要的法规、政策、条例和规则。有关成立用水户组织的法规通常不完善,新的法规将为建立水权和配水管理提供保障。发起一项修复或现代化改造计划的官员,应根据其他广泛推广项目的成功经验,制定必要的法规和条例。

5.2.4 建立非政府(受益)机构

实行建立用水户组织的计划,履行移交管理方面的职责,协助用水户组织开展工作,以及对工程运行进行监督是很重要的工作任务,应得到主管机构高级管理人员的重视。该项工作在一定程度上取决于所在国的文化背景、工程计划和支配职责转移的特殊性,并可以包括以下方面:

(1)确定工程受益区可能达到的居民人数。

(2)与当地社区部门共同召开公众会议,对计划的工程修复工作、预期的工程投资和有效作用、建立用水户组织的主要理由以及用水户个人、用水户组织的职责进行解释说明。

(3)协助建立用水户组织,主持用水户组织负责办事

人员的选举。

(4)与用水户组织及修复或现代化改造项目主管机构负责人举行定期会议。

(5)建立项目主管机构的相应部门与用水户组织负责办事的人员之间的工作会议制度,并对其会议情况进行监察。

(6)对用水户组织机构的运转情况进行长期监督。

(7)成立一个用水户的代表实体,对审计和税收政策执行情况进行监督,以保证用水户的正当权益。

5.3 设计和施工

工程的最终设计、招标文件的编制、承包商的选择以及施工监理是项目实施中的重要环节,在工作中应做到仔细,尽可能不延误工期。工期延误常常导致项目工程投资增大。因此,必须对这些环节的工作进行严格监督。

5.3.1 设计和施工

项目可行性研究报告所选择的方案,提出了工程修复或现代化改造的总体计划。根据这一计划,下一步需要做的工作是进行详细设计和编制施工说明书。在这些文件中应说明该工程是由当地承担还是由承包商负责建设。工程设计通常由制定和选择最终方案的项目工作组完成,也可能交给在工程设计和对施工过程进行监理方面更有经验的另一个新的小组承担。

在工程设计过程中,有可能对所选择的方案作一些细小的改动,但不应再提出一个新的主选方案,或是对以前已认可的基本概念作大的改动。这会给设计人员、工程投资、工程将来的运行和维护带来许多不便和困难。虽然灌溉系统工程设计方面已制定了很多讲义、指南和规程，但涉及上述工作的详细内容和多种途径已超出了这些指导性文件的范围。在某些情况下，工程设计将在很大程度上受地方施工能力、取得建筑材料的可能性及其造价的影响。然而，应寻求新的途径和方法，尽可能在只增加较小投资的情况下改善工程的性能。总之，要与传统的方法进行比较，从中选优。

在项目准备施工时，一部分工程可由用水户承担，如基础土方工程、房屋以及小型建筑物。一些需要专业队伍施工的工程，如大型泵站、渠道上主要的节制建筑物及其他重要工程(渡槽、桥梁或倒虹吸)、闸门更换、电动启闭设备、水量控制设备以及数据采集和通讯系统，建议由有经验的承包商负责建设。选择有经验的承包商还有一个优点，即可加快施工速度，避免造成损失。此外，在灌溉季节，要求用水户投入大量人力也是不可能的。

为了便于工程施工，有时可能需要暂停某些地区的灌溉供水，在这种情况下，就不能过份强调施工一方必须承担不间断供水的义务。为了减少分歧，在承包商和用水户之间建立良好的协调关系是很重要的。

5.3.2 工程施工监理

用水户和工程设计组应协力一致对工程施工进行监理，对工程质量控制进行监督检查。监理组要制定一套好的会计制度，以便对工程质量测定及支付工程款的过程进行跟踪。在工程竣工后,上述人员还要密切配合,对项目进行最终检查,确定承包商是否已按合同完成全部工程,要达到项目最终验收还必须进行的工作。

5.4 修复与现代化改造项目竣工后的维护、管理和运行监测

一项良好的运行、维护和管理计划加上一项好的监测计划,可有效避免在将来又需要进行大规模修复或现代化改造项目。下文所介绍的方法已在各国灌溉建设项目运行、维护、管理的评价和监测中成功应用。该方法应配合程序使用,以便及时对已发现工程的不足之处加以纠正。

实践证明,一项评价和监测计划对工程竣工后制定一套良好的运行、维护和管理计划以及实现长期项目目标都是有益的。美国内务部垦务局(USBR)、世界银行、国际灌排委员会以及其他机构,已有对过早退化的工程及时进行评价以减少由于工程退化而发生事故的经验。例如,大约从 1902 年起,美国内务部垦务局为开垦西部的干旱土地开始兴建灌溉工程。这些灌溉工程运行 25～30 年后,人们发现工程设施普遍出现退化,有的工程由于退化已达不到预期的效益。1948 年,美国政府实施一项大规模计划,对垦务局所设计的灌溉工程进行监测和评价,针对存在的缺陷和问题确定修复方案。该计划的实施有助于改善垦务局设计的很多灌溉工程的运行、维护和管理,使之继续发挥效益。其他工程和附属机构也强

调,监测和评价是通过改善灌溉排水工程和持续运行、维护及管理,使工程效益得以发挥的一个重要方面。

5.4.1 工程运行、维护和管理的评估

评估过程包括对所观察到的工程状况进行描述和论证,以确定工程的缺陷。工程照片在描述工程现状和与以前观察到的工程情况进行比较时,很有用处。

对大多数灌溉工程进行评估的内容如下:

(1)工程设施状况。

(2)工程退化范围。

(3)工程可能失效的条件。

(4)运行和维护计划。

(5)工程安全状况。

(6)工程预算、投资、准备金、财务计划及其他详细财务资料。

(7)管理机构和人员。

(8)实施情况。

5.4.2 措 施

下面介绍的措施已成功地应用于各国灌溉工程运行、维护及管理的有效评价和监测。这一过程将涉及所有层次的人员,而且有助于调动工作热情,明确承担的义务和工作职责。

(1)用水户组织中的运行和维护人员。根据系统运行等级,用水户组织的运行和维护人员,不间断地对工程的运行和维护情况进行评价和反馈。运行和维护人员应经过培训,具备发现系统存在问题以及识别系统是否处

于正常工作状况和是否满足工程运行要求的能力。

（2）用水户组织中的管理人员。由用水户组织负责的办事人员和关键人员,如管水员、维护监督中和其他工程管理有关人员负责对工程管理水平作出评价。根据年度检查情况,制定用水户组织下一年和随后几个年度的工作计划和经费预算。

（3）外部或独立机构检查。工程运行、维护和管理以及设施的检查,通常由外部独立的有经验的专家组负责。独立专家组能对整体运行情况作出评估,而由内部普通的职员进行检查,往往由于面对日常熟悉的事物而忽视发生的问题。建议根据工程情况每2～3年进行一次检查。检查结果应对工程情况和存在的问题作出交代并提出建议,以便能将必需的后续工作列入改造计划并付诸实施。